oudig Communiceren / Lezen voor Iedereen
communiceren.nl
iedereen.be

t negende deel in de spannende, twintigdelige reeks *BoekenBoeien*.
jn woorden verwerkt uit de *Basislijst Schooltaalwoorden vmbo*.
ken zo spelenderwijs kennis met woorden die van groot belang
olvakken biologie, economie, wiskunde, natuurkunde en mens &
. De reeks *BoekenBoeien* bevat alle 1600 woorden uit de *Basislijst*
orden vmbo, gemiddeld 80 woorden per deel. In *Bolbliksem* staan
de categorie natuurkunde.

Schooltaalwoorden vmbo is samengesteld door het Instituut voor
ek en Taalonderwijs Amsterdam (ITTA), onderdeel van de Universiteit
am, in opdracht van Dienst Maatschappelijke Ontwikkeling Amsterdam.
atie: www.itta.uva.nl.

ekenBoeien is breed inzetbaar, en leent zich uitstekend voor zowel
als klassikaal en/of schoolbreed lezen. Drie keer per week twintig
zen is voor leerlingen al voldoende om vooruitgang te boeken in
gheid en tekstbegrip.

kenboeien.nl | www.boekenboeien.be

idee van Marian Hoefnagel en Helene Bakker
arian Hoefnagel, naar een plot van Jan Terlouw
ving: Uitgeverij Eenvoudig Communiceren
nslag: iStockphoto.com
sy-to-Read Publications

mber 2011 Uitgeverij Eenvoudig Communiceren, Amsterdam.

978 90 8696 139 9

Bo

Uitgeverij Eenv
www.eenvoudig
www.lezenvoor

Bolbliksem is he
In deze serie z
Leerlingen ma
zijn bij de scho
maatschappij
Schooltaalwo
woorden uit
De *Basislijst* S
Taalonderzo
van Amster
Meer inform

De serie *Boe*
individueel
minuten le
leesvaardi

www.boe

Naar een
Tekst: M
Vormge
Beeld o
Druk: E

ISBN

Bolbliksem

Marian Hoefnagel
naar een plot van Jan Terlouw

Dit boek heeft het keurmerk Makkelijk Lezen

Voorwoord

Welkom bij *BoekenBoeien*: twintig spannende boeken die lekker makkelijk lezen. *BoekenBoeien* is geen gewone boekenreeks, er is iets bijzonders mee aan de hand. In elk verhaal staan namelijk ongeveer 80 woorden uit de *Basislijst Schooltaalwoorden vmbo*.

In de *Basislijst Schooltaalwoorden vmbo* staan woorden die je nodig hebt om de lessen op school goed te snappen. En voor later zijn ze natuurlijk ook handig.

De schooltaalwoorden in dit boek staan *schuingedrukt*. Sommige woorden ken je misschien al. Of je begrijpt de betekenis zodra je de rest van de zin leest. Zitten er woorden tussen die je nog niet kent? Zoek dan de betekenis op in de woordenlijst. Die vind je op bladzijde 56.

In totaal bestaat de *Basislijst Schooltaalwoorden vmbo* uit 1600 woorden. Ze zijn ingedeeld in zes categorieën: algemeen, wiskunde, biologie, natuurkunde, economie en mens & maatschappij. In *Bolbliksem* staan woorden uit de categorie natuurkunde en de categorie algemeen.

Wist je dat lezen makkelijker wordt als je het vaak doet? Met drie keer twintig minuten per week merk je al een groot verschil. En de reeks *BoekenBoeien* bestaat uit maar liefst twintig delen. Dus mogelijkheden genoeg om te oefenen.

1.

Yoni staat in de keuken voor het aanrecht, met haar handen in het sop. De afwas, dat is haar taak.
Een van haar taken, eigenlijk.
Alle borden, kopjes, *schalen*, messen en pannen van de hele dag *dompelt* ze *onder* in het warme water.
Haar vader en broers zetten iedere dag hun vieze spullen op het aanrecht.
En Yoni wast ze 's avonds allemaal af. Zeven dagen per week. Driehonderdvijfenzestig dagen per jaar.
Als ik eenmaal geld verdien, koop ik meteen een afwasmachine, denkt Yoni.
Ze roert met de afwaskwast in het sop en pakt de laatste messen, vorken en lepels uit het water. Even afspoelen onder de kraan en hup in het afdruiprek.
Nu nog het fornuis schoonmaken en het aanrecht.
En dan de vloer dweilen.
Want dat hoort bij de afwas, zei haar moeder altijd.

Yoni zucht. Ze moet vanavond nog een biologie*proefwerk* leren, een opstel schrijven en een natuurkundeproject bedenken. Ze kan die stomme afwas er helemaal niet bij hebben.
Maar haar vader vindt nu eenmaal dat meisjes er zijn voor het huishouden.
En dat meisjes zich dus helemaal niet moeten bezighouden met proefwerken, opstellen en projecten voor natuurkunde. School, studie, opleiding, dat zijn dingen voor jongens. Voor haar broers dus.

Misschien kan Yoni haar school niet eens afmaken.
Haar vader vindt dat ze zo snel mogelijk van school
moet. Het liefst meteen als ze zestien is. En dat is al
over drie maanden.
Soms denkt Yoni dat het misschien ook beter is om
te stoppen met school. Dan is ze meteen van al dat
stomme huiswerk af. En als ze dan gaat werken,
dan verdient ze haar eigen geld!
Maar vaak ook vindt ze het jammer om nu al van
school af te gaan.
Ze is slim genoeg om een mooi diploma te halen.
En ze zou makkelijk verder kunnen studeren.
Maar ja, ze weet toch niet wat ze dan zou moeten
kiezen. En daarbij, hoe komt ze aan het geld om al
die jaren een opleiding te volgen?
Haar vader gaat dat echt niet betalen.

Ze staart naar het zwarte raam boven het
aanrecht. Buiten is niets te zien; het is aardedonker.
Het enige wat ze ziet in het raam is zichzelf.
Een mager meisje met lang bruin haar. En een bril.
Plotseling wordt het bos achter het zwarte raam
fel verlicht. De *bliksem* flitst boven de kale bomen
langs de hemel.
Er is nog geen geluid van de donder. Dat komt pas
later, als het raam weer donker is.
De donder dreunt dof door het bos, door het huisje
van Yoni en haar familie, naar de steengroeve aan
de andere kant van de weg.
Daar *botst* het zware geluid tegen de wanden van
de steengroeve en komt veel zachter weer terug,
als *echo*.

Het rommelt nog even om het huisje en dan is het weer stil. Aardedonker en doodstil.

Yoni laat het afwaswater weglopen en pakt een theedoek.
En dan, precies op dat ogenblik, ziet ze hem.
Hij komt langzaam op haar af, zonder geluid.
Hij glijdt over het aanrecht, langs het afdruiprek, *zweeft* over het fornuis en gaat de deur door, de gang op.

2.

Yoni kan haar ogen niet geloven. Wat is dat voor
een ding?
Een oranje bol van vuur, die door het huis glijdt?
En die niets in de fik steekt? Hoe kan dat? Ze loopt
achter de eigenaardige bol aan, naar de gang.
De bol steekt de gang *diagonaal* over, van links naar
rechts.
Hij *versnelt* nu en gaat steeds harder.
Bij het *aquarium*, de trots van Yoni's vader, lijkt
de bol even te aarzelen. Alsof hij de vissen wil
waarschuwen.
Yoni ziet een *trilling* door het water gaan.
Dan raakt de vuurbol het water van het aquarium.
Er klinkt een sissend geluid en de lichtbol is
verdwenen.
Op hetzelfde ogenblik klinkt er een harde
donderslag en valt de elektriciteit uit.

Yoni staat een hele tijd doodstil op de donkere
gang. Het is net alsof alleen haar lichaam daar
staat. Alsof ze er zelf niet in zit.
Ze probeert wel te lopen, maar ze komt niet
vooruit.
Dan hoort ze stemmen uit de woonkamer komen.
'Yoni?', roept haar vader. 'Yoni is alles goed met je?'
Ze hoort dat haar vader naar de keuken loopt.
Yoni probeert hem te antwoorden, maar ook dat
lukt niet.
Haar tong zit vast.

Haar vader komt de gang op met een kaars in zijn hand.

In het licht van de *kaarsvlam* ziet hij het witte gezicht van zijn dochter.

'Wat is er met je aan de hand?', vraagt hij. 'Ben je zo geschrokken van het onweer?'

Yoni wil haar hoofd schudden, maar ze kan zich nog steeds niet bewegen.

'Lieverd, wat is er?', vraagt haar vader.

Hij komt dicht bij haar staan en houdt de kaars een beetje omhoog.

Een druppel *kaarsvet* valt op haar arm.

En meteen is ze weer terug in het *omhulsel* van haar lichaam.

'Au', roept ze. En ze wrijft het kaarsvet van haar arm.

'Wat ruikt het hier raar', zegt een van haar broers, die nu ook de gang opkomen.

3.

'En, Yoni, heb jij een project bedacht?', vraagt de
leraar natuurkunde.
Yoni kijkt hem slaperig aan. Ze is de hele nacht
wakker geweest. Ze kon niet slapen door de
wonderlijke lichtbol. Een bolbliksem, weet ze nu.
Ze heeft het opgezocht op internet, toen de
elektriciteit het weer deed.
Aan haar vader en broers heeft ze niets verteld over
de oranje vuurbal.
Die zouden haar toch niet geloven. Eigenlijk
geloofde ze het zelf nauwelijks.

'Ik wil een project doen over bolbliksems', zegt Yoni.
De leraar kijkt haar verbaasd aan.
'Bolbliksems?', vraagt hij. 'Het is niet zeker of die
wel bestaan.'
'Ze bestaan', zegt Yoni. 'Ik heb er gisteren één
gezien, gewoon bij mij thuis.'
'O?', zegt de leraar. 'Dat is heel bijzonder. Waren er
anderen bij, toen je die bolbliksem zag?'
Yoni schudt haar hoofd.
'Nee, ik was alleen in de keuken aan het afwassen',
zegt ze. 'En ik heb er niet aan gedacht om mijn
vader en broers te roepen. Trouwens, hij was heel
snel weer weg.'
'Was er schade?', vraagt de leraar.
Yoni aarzelt even. 'Nou, er vloog niets in brand',
zegt ze dan. 'Dat verbaasde me wel. Maar het water
van het aquarium is kokend heet geworden.

Alle vissen dreven *levenloos* aan de *oppervlakte*.'
'Hoe kan dat?', vraagt de leraar verbaasd.
'De bolbliksem is het aquarium ingedoken', zegt
Yoni.

Haar vader was erg bedroefd, toen hij de dode
vissen zag. Dat begreep Yoni wel.
Van sommige visjes bewogen de *kieuwen* nog,
dat zag er zo zielig uit.
Het aquarium was de grote hobby van haar vader.
Hij hield net zo veel van de vissen als van zijn
kinderen. Misschien hield hij zelfs wel meer van zijn
vissen.
'Er is natuurlijk kortsluiting geweest, door de
bliksem', zei haar vader. Yoni had geknikt.
'Ja, dat zal het geweest zijn', had ze gezegd.

'Het lijkt me een erg moeilijk onderwerp voor je',
zegt de leraar. 'Weet je wel zeker dat je het over
bolbliksems wilt hebben?'
'Ja', antwoordt Yoni. 'Ik ben er de hele nacht mee
bezig geweest. Ik weet er al best veel van.'

Toen iedereen naar bed was, is Yoni achter de
computer in de huiskamer gaan zitten.
Overdag kan dat nooit, want dan claimen haar
broers de computer. Zij mag nooit.
Computers dat zijn immers echte jongensdingen.
Wat moet een meisje nou met een computer?
Meisjes hebben er veel meer aan om te kunnen
werken met de wasmachine, de stofzuiger en het
koffieapparaat.

Op haar school kennen ze de *opvattingen* van Yoni's
vader. Haar mentor heeft ook wel geprobeerd
hem op andere gedachten te brengen. Hij heeft
gevraagd of Yoni niet zo veel in het huishouden
hoefde te doen, zodat ze meer tijd had voor haar
huiswerk.
Maar het viel niet te *bespreken*.

De natuurkundeleraar knikt naar Yoni.
'Oké, dan', zegt hij. 'Yoni en de bolbliksem.'

4.

Het was leuk, dat surfen op internet vannacht.
Eerst had ze een hele tijd gezocht naar het goede
trefwoord. Vuurbol, vuurbal, dat leverde allemaal
niets op. En ineens kreeg ze een idee. Vuurbal en
bliksem tikte ze in. En daar kwam ie meteen uit: de
bolbliksem!

Op Wikipedia stond *algemene* informatie over de
bolbliksem. Dat het een natuurkundig verschijnsel
is, dat niemand goed begrijpt.
Dat bolbliksems ontstaan tijdens onweer.
Dat verschillende mensen bolbliksems hebben
gezien en beschreven. Dat de meeste bolbliksems
zo groot zijn als een tennisbal en *doorzichtig*.
Dat bolbliksems zich meestal horizontaal bewegen,
maar dat ze ook kunnen *dalen* en stijgen.
Dat een bolbliksem vaak een vreemde geur
achterlaat. Er stonden ook plaatjes van bolbliksems
bij. Dat moet het zijn, dacht Yoni direct. Dat is wat
ik heb gezien.

En toen kwam Yoni terecht op een website over
bolbliksems van een jongen, Jan.
Jan had van alles opgezocht in natuurkundeboeken
en hij had geprobeerd om verklaringen te vinden
voor de bolbliksem. Er stonden ook reacties op zijn
website van andere mensen, zoals:
> Jee, Jan, wat een goeie website, man. Ik weet nu
> veel meer over bolbliksems. Dank je. Joris.

En:
Het is een interessante website, Jan.
Maar toch denk ik dat je *het mis hebt*.
Ik denk dat er een heel andere verklaring is
voor bolbliksems. Geen natuurkundige, maar
een spirituele. Ik denk dat het een teken is van
de overkant. Van een dode die heel graag in
contact wil komen met iemand op aarde.
Juniper

Mam, dacht Yoni meteen. Mam wil iets tegen me
zeggen. Maar wat?

Ze had een berichtje geschreven aan Juniper.
Maar Juniper had nog niet geantwoord.

5.

Yoni zit voor het huisje aan de bosrand op een *boomstam*. Ze is alleen thuis. Haar broers zijn naar school en haar vader is het bos in om hout te halen. Het is koud, maar toch gaat ze niet naar binnen. Het is buiten veel prettiger, veel lichter dan in het muffe, ongezellige huis.

Op Yoni's schoot ligt het *opdrachtenboek* van natuurkunde open op *pagina* 10. Ze moet een tekening maken. Een *ruimtelijke* tekening, met diepte erin.
Ze moet *schetsen* hoe een *hefboom* eruitziet.
En daarna een vraag beantwoorden over een hefboom en een zware steen.
Ze moet even lachen. Vlak voor haar neus, bij de steengroeve, ligt een hefboom. Vroeger, toen er nog mannen werkten in de steengroeve werd die hefboom vaak gebruikt. Om zware stenen op te tillen.
Eigenlijk is de hefboom niet meer dan een grote, stevige stok. En een dik blok hout. Die stok werd over het blok hout gelegd als een wip. Het ene uiteinde werd dan onder een steen gezet.
En dan duwden twee mannen van boven op het andere uiteinde van de stok. De steen wipte dan omhoog. En kon zo op een kar of kruiwagen geschoven worden. Stenen die je nooit zelf zou kunnen optillen. Ook niet met z'n tweeën.
Ja, vroeger, toen hier nog mannen werkten …

Yoni denkt aan de tijd dat ze nog een klein meisje was. Haar vader werkte in de steengroeve, samen met andere mannen.
De mannen begonnen 's morgens als het licht werd en werkten tot de zon onderging.
Lange, zware dagen waren het.
Maar wel gezellige dagen.
Haar moeder maakte koffie voor de mannen en bakte vers brood.
Elke dag zaten de mannen op de boomstammen voor het huis te eten en te drinken.
Drie keer een halfuur, iedere dag.
Er werd dan veel gepraat en veel gelachen.
Nu gebeurt dat nooit meer.

Ze zucht even en kijkt naar de schets. Die is wel goed. Tekenen kan ze wel.
Nu de vraag: op welke manier kun je met een hefboom het meeste optillen.
Eigenlijk heel simpel. Hoe dichter het blok hout onder de hefboom bij de steen ligt, hoe zwaarder de steen kan zijn die je op moet tillen.
Mooi toch, natuurkunde, zo handig en zo eenvoudig!

6.

'Je hebt je proefwerk erg goed gemaakt, Yoni',
zegt de natuurkundeleraar. Hij legt haar
proefwerkblaadje op haar tafeltje.
'Geen één fout, een tien dus. De rest van de klas
heeft het veel minder goed gemaakt.'
De andere leerlingen kijken jaloers naar Yoni.
'Yoni is een natuurkundewonder', zegt Gregory.
'We moeten haar inschrijven voor een
natuurkundequiz, dan gaat ze absoluut winnen.'
De natuurkundeleraar schiet in de lach.
'Nou, zo'n gek idee is dat niet', zegt hij dan op een
serieuze *toon*. 'Yoni kan wel meedoen aan de
natuurkunde-olympiade. Ik zal een inschrijf*formulier*
voor haar meenemen.'
Alle leerlingen worden nu nieuwsgierig en iedereen
roept door elkaar: 'Wat is dat, een natuurkunde-
olympiade?'
'Is het net zoiets als de Olympische Spelen?'
'Mogen we allemaal meedoen, of alleen Yoni?'
'Is het in een ver, warm land of gewoon in
Lutjebroek?'
'Ho, ho, ho', zegt de leraar lachend. 'Ik zal er straks
wel iets over vertellen. We gaan nu eerst het
proefwerk bespreken.'

Terwijl de leraar het proefwerk in de klas bespreekt
mag Yoni iets voor zichzelf doen. 'Ga maar even
googelen', zegt de leraar tegen haar.
'Op natuurkunde-olympiade.

Dan kun je de klas straks vertellen wat het is en besluiten of je mee wilt doen of niet.'

En zo zit Yoni even later achter de computer.

Eerst even snel kijken of Juniper nog iets geschreven heeft, denkt Yoni.

Juniper en zij mailen al een paar weken naar elkaar over bolbliksems.

Juniper denkt dat de ziel van een overledene via bliksemflitsen kan afdalen naar de aarde.

En dat die ziel dan in de vorm van een bolbliksem naar een geliefd persoon kan zweven.

Om die persoon iets mee te delen.

Yoni wil dat graag geloven.

Contact met haar overleden moeder ..., dat is het mooiste dat ze zich kan voorstellen. Maar als het waar is, wat wil mam haar dan vertellen met een stel dode vissen?

Als mijn moeder in die bolbliksem zat, is ze dan expres het aquarium van mijn vader ingedoken of per ongeluk?, heeft ze vannacht aan Juniper gemaild.

Juniper heeft geantwoord:

Jouw moeder wil jou iets duidelijk maken.

Wat dat precies is, dat weet ik ook niet. Dat moet je zelf uitvinden.

Maar ik kan me niet voorstellen dat ze toevallig in het aquarium terecht is gekomen.

'En?', vraagt de natuurkundeleraar. 'Wat kun je ons vertellen over de olympiade, Yoni?'

Yoni haalt haar schouders op.

'Iets voor nerds, voor *watjes*', zegt ze. 'Maar ik heb wel alvast een formulier gedownload, om me in te schrijven. Omdat er maar heel weinig meisjes meedoen, vind ik het wel leuk.'

7.

In gedachten fietst Yoni naar huis.
Het is een heel eind van haar school naar het kleine
huisje aan de rand van het bos.
Vroeger vond ze het altijd heerlijk om naar huis te
gaan.
Gauw naar de gezellige kamer met de houtkachel.
Gauw naar de grote eetkeuken, waar haar moeder
altijd bezig was.
Lekker kletsen over school, over vriendinnen.
Maar nu wil ze niet gauw naar huis. Eigenlijk wil ze
helemaal niet naar huis.
De fietstocht kan haar niet lang genoeg duren.
Want zolang ze fietst, hoeft ze de rommel niet op
te ruimen van haar vader en haar broers.

Ik ben niets, heeft ze aan Juniper geschreven.
Ik besta niet echt.
Ik voel me nog kleiner dan een minuscuul stofje op
mijn schoongemaakte bril.
Ik heb geen inhoud, ik ben alleen een omhulsel.
Ik leef, dat weet ik en dat voel ik als ik inadem.
Maar op het moment dat ik uitadem ben ik weer
niets. Een lege *hoes*.

Maar er zijn toch wel dingen waar je goed in bent?
heeft Juniper gevraagd.
Er zijn toch wel dingen waar je blij van wordt?
En op die momenten ben je toch geen lege hoes?
Dan besta je toch ook van binnen?

En daar denkt Yoni over na, terwijl ze naar huis fietst.
Natuurlijk zijn er dingen waar ze goed in is.
Natuurkunde. Wiskunde. Biologie. Scheikunde. Tekenen.
Op school wordt dat wel gewaardeerd.
Alle leraren vinden het leuk dat Yoni zulke hoge cijfers haalt.
Maar thuis is dat totaal onbelangrijk.
Daar wordt alleen maar verwacht dat ze de was doet.
Dat het eten om zes uur op tafel staat.
Dat ze de wc en de badkamer schoonmaakt.
Zijn er ook dingen waar ik blij van word, denkt Yoni.
Nou, nee, eigenlijk niet.

'Hé, jij bent toch Yoni?', klinkt een stem naast haar.
Yoni kijkt opzij, recht in het gezicht van een jongen.
Ze kent hem vaag. Hij zit bij haar op school, een paar klassen hoger.
'Ja', knikt ze.
'Hoi, ik ben Joris', zegt hij. 'Ik wil graag met je meedoen met het project over bolbliksems.'
Yoni is te verbaasd om iets terug te kunnen zeggen.
'Vind je het geen goed idee om het samen te doen?', zegt Joris dan maar.
'Joris?', vraagt Yoni dan. 'Ben jij de Joris van de website van Jan?'
Nu is Joris te verbaasd om te reageren.
'Hè?', is alles wat hij weet te zeggen.

8.

De weg die Yoni iedere dag fietst is geen makkelijke
weg.
Er zijn veel bochten en er is veel *hoogteverschil*.
Op sommige delen van de weg gaat het fietsen
zonder moeite, als je naar beneden gaat.
En op andere delen moet je echt hard trappen.
Yoni weet precies waar de gevaarlijke bochten
zijn, waar ze goed moet opletten, waar ze af moet
remmen.
Maar Joris weet dat niet.
In een bocht remt hij niet hard genoeg en raakt uit
balans.
Zijn fiets komt tegen de fiets van Yoni aan, die nu
ook haar evenwicht verliest.
'Pas op', gilt Yoni nog. 'Daar komt een auto aan.'
Ze vallen samen en glijden een eind door over het
wegdek.
De chauffeur van de auto ziet de twee glijdende
fietsers vlak voor zijn wielen en remt hard.
Maar een *botsing* is onvermijdelijk.

Yoni hoort ergens in de verte stemmen.
En een tijdje later hoort ze ook de sirene van een
ambulance.
Ze weet heel goed wat er met haar aan de hand
is: een ongeluk, op het steile deel van de Bosweg.
Samen met Joris, die met haar wil meedoen met het
bolbliksemproject.
Alleen ... ze voelt niks. En dat is gek.

Ze moet nu pijn hebben. Ze moet nu bang zijn.
Maar dat is niet zo.
Het is net alsof iemand anders daar ligt, op het
asfalt van de Bosweg.
Iemand die veel op haar lijkt.
En alsof zijzelf ergens boven de Bosweg zweeft.
Ze kan zichzelf ook zien liggen, merkt ze nu.
Haar gezicht is erg wit. Maar er is verder geen bloed
te zien.
Dan pakken mannen haar voorzichtig op.
Ze hoort hoe zij de deuren van de ambulance
dichtslaan.
Joris, wil ze vragen. Waar is Joris?
Iemand legt even een hand op haar hoofd.
'Rustig maar', zegt een vriendelijke stem. 'Over tien
minuten zijn we in het ziekenhuis.
Het komt wel goed.'

9.

'Hé, jij bent toch Yoni?'
Dit heb ik al meegemaakt, denkt Yoni. Dit droom ik.
Toch doet ze haar ogen open. En weer kijkt ze recht
in het gezicht van Joris. Joris van haar school. Joris
die mee wil doen met haar natuurkundeproject.
Maar dit keer zit Joris niet op de fiets. Hij ligt in
het ziekenhuisbed naast haar. Zijn been hangt aan
stalen draden schuin omhoog.

'Dus jij bent niet de Joris van de website van Jan?',
vraagt ze. Joris schiet in de lach.
'Oké, we gaan gewoon door met ons gesprek van
voor het ongeluk', zegt hij.
Yoni wil knikken, maar dat gaat niet goed. Ze heeft
een soort kraag om haar nek.
'Mmm', zegt ze daarom.
'Nee, die Joris ben ik niet. Ik heb ook geen idee
welke website van welke Jan je bedoelt.'
'Maakt niet uit', zegt Yoni. 'Wat is er met je been?'
'Gebroken', antwoordt Joris. 'Mijn been moet
een paar weken zo blijven hangen. Ik mag mijn
been*spieren* absoluut niet gebruiken. Door
de *spierkracht* kunnen de gebroken botten
verschuiven. In deze houding groeien ze keurig aan
elkaar. Maar dat duurt dus een paar weken.'
'Jee', zegt Yoni. 'Heb je verder nog iets?'
'Nee', zegt Joris vrolijk. 'Ik ben er heel goed vanaf
gekomen. Jij ook, denk ik. We hadden ook dood
kunnen zijn.'

'O', is het enige wat Yoni weet te zeggen.

Ik was dus bijna dood, denkt ze. Ik was al op weg naar mijn moeder, toen, op de Bosweg.

Ik zag mezelf liggen en ik zweefde boven mijn lichaam.

'Wat is er met mij aan de hand?', wil ze dan weten.

'Jouw linker*pols* is gebroken', zegt Joris. 'Daar zit gips om. En er is ook iets in je elleboog gebroken. Een botje dat ze met een pen hebben vastgezet.'

'Een pen?', vraagt Yoni.

'Ja, een pen van staal. Je moet het straks maar aan de chirurg vragen, die zal wel langskomen. Dat doet hij iedere dag.'

'Iedere dag?', vraagt Yoni verbaasd. 'Hoelang liggen we hier dan al?'

'Vier dagen', zegt Joris. 'Iedereen was bang dat jij niet meer wakker zou worden.'

'Echt?', vraagt Yoni.

'Nou, je vader was er heel bang voor. En je broers. De dokters niet, hoor. Die zeiden dat je een zware hersenschudding had en dat het dan niet gek is om een paar dagen bewusteloos te zijn.'

Mmm, denkt Yoni. Misschien was ik wel liever bewusteloos gebleven.

10.

'Ik wil natuurkunde gaan studeren', zegt Joris.
Yoni heeft hem gevraagd waarom hij zo
geïnteresseerd is in haar bolbliksem-project.
'Ik vind natuurkunde zo'n gaaf vak. Het verklaart
alles, de hele wereld om ons heen. Zwaartekracht,
elektriciteit, motoren, het weer, het is allemaal
natuurkunde.'
'Ja, maar', antwoordt Yoni, 'bolbliksems kunnen niet
verklaard worden.'
Joris kijkt ernstig en knikt.
'Daarom vragen zo veel mensen zich af of
bolbliksems wel bestaan', zegt hij. 'Ik ook.'
'Ze bestaan', zegt Yoni. 'Ik heb er één gezien, in de
keuken.'
'Ik wil graag weten wat je precies hebt gezien', zegt
Joris. 'Dat wordt dan de *inleiding* van ons project:
een *nauwkeurige* beschrijving van wat je hebt
gezien. Een echte observatie.'
'Een observatie', mompelt Yoni.
'Ja, dat wil dus zeggen dat je niet mag
interpreteren', legt Joris uit. 'Je mag alleen maar
vertellen wat je gezien hebt. Niet wat je denkt dat
het betekent.'
'Mmmm', zegt Yoni.
Ze denkt aan Juniper die zo'n fijne verklaring had
voor de bolbliksem.
Ze heeft niets meer gehoord van Juniper, maar dat
is logisch. Om contact te hebben met Juniper heeft
ze een computer nodig. En die heeft ze hier niet.

'Vertel bijvoorbeeld eens hoe die bolbliksem eruitzag: kleur, vorm, grootte, temperatuur, snelheid, geluid, richting, hoogte, *straal*, dat soort dingen. Kun je dat?' Joris kijkt haar vragend aan.
'Natuurlijk', zegt Yoni. 'Ik heb hem toch gezien. Kleur: oranje; vorm: rond; grootte: een diameter van 10 centimeter; straal: de helft van de diameter, dus 5 centimeter.'
Ze kijkt naar Joris en ziet dat hij even glimlacht.

Ze gaat meteen door: 'snelheid: niet constant; een keer versnelde hij even en toen *vertraagde* hij weer. Geluid: geen; route: een rechte lijn van het aanrecht in de keuken naar het aquarium op de gang; hoogte: ongeveer een meter, maar bij het aquarium daalde hij; temperatuur: geen idee, maar het water in het aquarium kookte toen de bol erin was gedoken, dus best heet, denk ik. En dan de geur, die kan ik niet goed omschrijven. Vreemd.'
'Geur?', vraagt Joris verbaasd. 'Kon je de bolbliksem ruiken?'
'Toen hij eenmaal weg was wel, ja. Mijn broers hebben het ook geroken.'
'Kijk, dat is leuk voor het onderzoek in het project', zegt Joris. 'Jij gaat aan *stofjes* ruiken. Stofjes met allerlei verschillende geuren. En dan vertel je welk stofje het meest ruikt zoals de bolbliksem.'
Yoni moet lachen om het enthousiasme van Joris.
'Jij kunt echt goede observaties doen', zegt Joris vol waardering. 'Dat je dit allemaal nog zo precies weet, geweldig. Zat er trouwens een *kern* in de bolbliksem?'

Yoni schudt haar hoofd.
'Hij was doorzichtig', zegt ze. 'En hij straalde fel.
Ongeveer zoals een lamp van 100 watt.'

'Wat zijn jullie aan het kletsen', zegt de arts die
binnenkomt. 'Gezellig, zo samen op een kamer?'
'Zeker', knikt Joris.
'Maar de jongedame mag niet te vermoeid raken',
zegt de arts. Hij kijkt bezorgd.

11.

'Lieverd, wat ben ik blij dat je weer in het land der levenden bent.' Yoni's vader geeft zijn dochter een kus op haar voorhoofd en gaat naast haar bed zitten. Hij pakt haar hand en knijpt er even in.
'Ik ben zo geschrokken, toen ik hoorde van het ongeluk', gaat hij verder. 'En daarna, toen je maar niet wakker werd. Je broers en ik, we zijn met elkaar elke dag twee keer naar de kerk gegaan, om voor je te bidden. En zie, het heeft geholpen.'
Hij knijpt weer in Yoni's hand.

Yoni kijkt naar het oude gezicht van haar vader. Ineens heeft ze medelijden met hem. Hij heeft zo veel verdriet gehad. Eerst toen de steengroeve dichtging en er geen werk meer voor hem was. Daarna toen zijn vrouw stierf en hij moest zorgen voor het gezin.
Ze knijpt even terug. Ze weet dat haar vader al jaren niet meer naar de kerk is geweest. Vroeger ging hij elke zondag, maar na de dood van haar moeder niet meer. Hij was boos op God. Hij wilde niet meer bidden. En nu, voor haar, is hij toch weer naar de kerk gegaan. En zelfs haar broers zijn meegegaan om voor haar te bidden! Yoni lacht naar de oude man.

'We missen je, Yoni', zegt haar vader. 'En niet alleen omdat we nu zelf onze broeken moeten *persen*.

Of omdat we niet weten hoe we de was moeten doen en moeten stofzuigen.'

Yoni schiet in de lach.

'Wat is er misgegaan?', vraagt ze. 'Zijn jullie sokken *gekrompen*? Is er een rood T-shirt bij de witte was meegedraaid? Zijn jullie gestruikeld over de *lussen* in het snoer van de stofzuiger?'

Haar vader moet ook lachen.

'Ja, dat ook', knikt hij. 'En bij het koken hebben we de suiker met het zout *verwisseld*. De erwtensoep was echt heel vies.'

Yoni grinnikt bij het idee van de zoete erwtensoep en de gezichten van haar broers.

'Het is toch niet zo simpel, hè, dat vrouwenwerk', zegt ze. Haar vader schudt zijn hoofd.

'Ik heb nooit beweerd dat het simpel werk is', zegt hij. 'Maar vrouwen zijn nu eenmaal beter met het huishouden dan mannen.'

'Volgens mij is het een kwestie van oefenen', zegt Yoni. 'Als ik hier nog lang moet blijven, dan worden jullie net zo handig in het huishouden als ik.'

'Vast wel', knikt haar vader. 'En dan gaan we je ook helpen, Yoni. Want nu zien we pas hoeveel werk je altijd voor ons gedaan hebt. Veel te veel, eigenlijk, voor een meisje dat ook nog naar school gaat en huiswerk moet doen.'

Yoni weet niet wat ze hoort. Haar vader is kennelijk erg geschrokken van haar ongeluk. Ze kan hem nu ook wel even *polsen* over haar opleiding. Hoe het verder moet, als ze zestien is. Dit lijkt een goed moment. Maar toch zegt ze niets.

12.

'Weet jij in welke windrichting onze bedden staan?',
vraagt Yoni. 'Ik heb zo lekker geslapen vannacht.'
Joris kijkt haar verbaasd aan.
'Ik begrijp niet wat de windrichting te maken heeft
met lekker slapen', zegt hij dan. Yoni grinnikt.
'Met je hoofd naar het noorden slaap je beter', zegt
ze. 'Ik denk dat onze bedden met het hoofdeinde
naar het noorden staan.'
Joris kijkt haar nu verbijsterd aan. 'Dat meen je
niet', zegt hij. 'Jawel, hoor', knikt Yoni. 'De theorie is
dat je lichaam dan precies in het magnetisch *veld*
van de aarde ligt. En dat je je daardoor lekkerder
voelt. Dat zegt een vriendin van me. Juniper heet ze.'
'Yoni!', roept Joris verontwaardigd. 'Ik dacht dat je
een goede natuurkundige kon worden, maar dan
moet je niet met deze flauwekul aankomen.'

'Nou, het is toch gewoon een observatie?', zegt Yoni.
Joris schudt zijn hoofd.
'Dit is bijgeloof', zegt hij. 'En ík heb helemaal niet
lekker geslapen vannacht.'
Yoni kijkt naar het hangende been van Joris.
'Natuurlijk niet', zegt ze. 'Met zo'n been omhoog
slaapt niemand lekker. Maar serieus, weet jij waar
het noorden is in deze kamer?'
Joris kijkt naar het raam. Dat kijkt uit op een blinde
muur. De zon kan hij niet zien.
Hij schudt zijn hoofd. 'Ik kan niet zien waar de zon
aan de hemel staat', zegt hij.

'En de batterij van mijn smartphone is leeg. Anders
kon ik het daarop zien. Maar ...'
Zijn hele gezicht begint te stralen. 'Maar we kunnen
zelf een kompas maken', zegt hij. 'Heel simpel.
Heb jij een *naald*?'
'Ik denk het wel, in mijn toilettas', zegt Yoni. Ze pakt
haar toilettas en rommelt erin.
'Ja, hier.'
Joris heeft zijn sleutelbos gepakt. Daaraan zit een
magneet-sleutel. Met die sleutel kan hij het bedrijf
van zijn vader in.
Hij wrijft een paar keer met de naald langs de
magneet.
'Zo, die naald is magnetisch', zegt hij. 'Nu een glas
water ..., ja hier.'

Op het kastje naast zijn bed staan een glas water
en een vaas met bloemen. Rozen, die hij van zijn
zusje heeft gekregen. Hij trekt een rozenblaadje
van een bloem af.
'Wat ben je aan het doen?', vraagt Yoni nieuwsgierig.
'Die naald is magnetisch', legt Joris uit. 'Dus als die
vrij kan draaien, dan wijst hij naar het noorden.
Kijk, ik leg dat rozenblaadje op het water. Dat blijft
drijven. Dat moet, want met iets wat *zinkt* lukt het
niet. En dan die naald erop, zo. Zie je, ik heb een
draaibare constructie gemaakt.'
Het rozenblaadje begint een beetje te draaien op
het wateroppervlakte en stopt dan.
'Wat is nou het noorden?', vraagt Yoni.
'Een van de twee uiteinden van de naald wijst naar
het noorden', antwoordt Joris lachend.

'Ik weet niet welk. Maar dat maakt ook niet uit.
We weten nu wat we wilden weten. Onze bedden
staan zeker niet precies langs de lijnen van het
magnetisch veld van de aarde. Ze staan er dwars
op.'

'Jammer', vindt Yoni. 'Dan heb ik geen verklaring
voor dat lekkere slapen.'
'Misschien is het dit bed', denkt Joris hardop.
'Het is een heel modern bed, met speciale stalen
veren in het matras. Ik heb dat gelezen in de
nieuwsbrief van het ziekenhuis.'

13.

Yoni en Joris liggen nu twee weken in het
ziekenhuis, samen op een kamer.
De verpleging wilde Joris naar een andere kamer
brengen, zodat Yoni beter kon rusten.
'Jullie kletsen veel te veel samen', had een van de
artsen gezegd. 'Dat is niet goed voor iemand met
een zware hersenschudding.'
Maar Yoni heeft toen gesmeekt of Joris mocht
blijven.
'Als ik alleen ben, ga ik piekeren', zei ze. 'En dat is
helemaal niet goed voor mijn hersenen. Joris leidt
me juist af met zijn gepraat over natuurkunde.
En ik word er ook enthousiast van. Ik voel me veel
beter met hem naast me. *Vandaar* dat hij echt moet
blijven.'
De arts moest lachen. 'Hoe is je hoofdpijn nu?',
vroeg hij toen. 'Op een *schaal* van één tot tien?'
Toen Yoni net wakker was na het ongeluk heeft hij
dat ook gevraagd. 'Zes', zei Yoni toen.
'Drie', zegt ze nu. 'Of eigenlijk 2,63.'
De arts moest weer lachen.
'Wow, ik heb nog nooit een patiënt gehad die de
pijn aangaf in twee *decimalen* achter de *komma*',
zei hij. 'Maar laten we het toch maar *afronden* naar
drie, goed?'
'Ja hoor', zei Yoni.
'En hoe vind jij het, Joris?', vroeg hij toen. 'Wil jij nog
wel hier blijven liggen? Wil je niet liever op de zaal
met oude vrouwtjes met nieuwe heupen?'

'Alsjeblieft niet', zei Joris lachend. 'Daar gaan mijn botten spontaan verschuiven van ellende.'
'Nou, *aangezien* jullie allebei erg positief zijn over elkaars gezelschap, moeten jullie hier maar samen blijven', vond de arts toen.

Het is waar wat Yoni tegen de arts heeft gezegd: ze voelt zich prettig naast Joris.
Joris is vrolijk, enthousiast, aardig. Ze praten veel samen. Vooral over natuurkunde. En heel soms ook over zichzelf. Yoni heeft hem verteld dat haar moeder dood is en dat ze het daar nog steeds moeilijk mee heeft.
'Hoe is je moeder gestorven?', heeft Joris gevraagd. En Yoni heeft hem verteld hoe zij haar moeder had gevonden, in het bad. Ze was geëlektrocuteerd, doordat de föhn in het water was gevallen.
De tranen hadden weer over haar wangen gelopen, toen ze het vertelde.
'Het was mijn föhn', had Yoni gezegd. 'Ik had hem voor mijn verjaardag gekregen, ik had hem net een week. Ik vond dat mijn haar zo saai was, zo steil. Die ochtend had ik de föhn gebruikt en ik heb hem in het stopcontact laten zitten. Ik heb nooit meer mijn haar willen föhnen.'
Joris was heel begripvol geweest en had een hele tijd met haar gepraat. Maar hij wilde eigenlijk vooral weten hoe het zat met die föhn en hoe het kon dat die was gevallen.
'Föhns vallen niet vanzelf', zei hij. 'Misschien is je moeder uitgegleden en heeft ze in haar val die föhn van de wastafel gestoten.'

Hij vroeg ook nog of ze geen aardlekschakelaar
hadden in hun huisje aan de rand van het bos.
'Met een aardlekschakelaar was het nooit gebeurd',
zei hij. 'Dan had je moeder misschien een schok
gehad, maar geen hartstilstand.'
Hij was minder benieuwd geweest naar de elfjarige
Yoni die haar moeder dood had gevonden. En
naar de vijftienjarige Yoni die zich al vier jaar lang
ontzettend schuldig voelde.

14.

De ouders van Joris hebben een laptop voor hem meegenomen.
'Dat is handig voor je huiswerk', zei zijn vader lachend. 'En misschien kun je af en toe iets opzoeken op internet.'
Joris moest ook lachen. Zijn vader weet natuurlijk heel goed hoe dol Joris is op internet. Hij zit iedere dag uren achter zijn computer thuis. Om op te zoeken welke experimenten er gedaan worden met de enorme deeltjesversneller, die een paar jaar geleden in Zwitserland gebouwd is. Om te praten met anderen op het natuurkundeforum. Om een natuurkundequiz te doen. Of om de nieuwste film met Brad Pitt te kijken.

Yoni mag ook af en toe op de laptop. Nu kan ze eindelijk weer met Juniper mailen.

Ik was echt ongerust, mailt Juniper.
En terecht dus. Hoe gaat het nu met je? Voel je je nog steeds kleiner dan het kleinste stofje op je schoongemaakte bril?

Nee, mailt Yoni terug. Mijn linkerarm zit in het gips en ik heb een kraag om mijn nek. Ik kan dus maar één arm bewegen en mijn nek bijna helemaal niet. Verder ben ik bont en blauw, echt overal. Van mijn enkels tot mijn nek. Maar ik ben geen *microscopisch* klein stofje meer.

Ik mag niet veel van de dokters in het ziekenhuis.
Het is van *belang* dat ik veel rust.
En alles moet op een vaste tijd: douchen, eten,
slapen, kletsen met Joris. Rust, reinheid, regelmaat!
Het lijkt allemaal heel saai en vervelend.
Maar toch voel ik me goed.
Ik ben iemand. Iemand die de moeite waard is.
Raar, hè?

Nee, niet raar, mailt Juniper.
Fijn dat het beter met je gaat.
Weet je al wat je moeder wilde zeggen?

Nee, mailt Yoni.
Ik heb echt geen idee.

15.

Ze werken samen verder aan het bolbliksemproject.
Joris heeft de inleiding al geschreven, op zijn
laptop: de beschrijving van wat Yoni gezien heeft.
'Waren er *vonken*?', vraagt Joris, terwijl hij even van
zijn laptop opkijkt.
'Vonken?'
'Ja, met die bolbliksem. Als hij ergens tegenaan
botste, vonkte hij dan?'
'Nee.' Yoni denkt even na. 'Maar hij botste ook
nergens tegenaan.'
'Ook niet tegen het aquarium?'
'Nee. Hij bleef even boven het aquarium hangen.
Toen zag ik een trilling in het water, aan de
oppervlakte. Ik dacht nog: het lijkt wel of hij de
vissen wil waarschuwen. En toen dook hij het water
in. En toen was er die geur.'
'Ja, die geur, dat is lastig', zegt Joris. 'Er bestaat geen
definitie voor geur, zoals er definities bestaan voor
snelheid en voor temperatuur.'
Yoni moet lachen.
'De definitie van geur kan zijn: wat je ruikt', zegt ze.
'Jij bedoelt dat er geen *eenheid* is om geur in uit
te drukken. Snelheid gaat in meter per seconde,
temperatuur gaat in graden. Maar geur, dat is iets
persoonlijks. Net als pijn, eigenlijk.'

Joris knikt, terwijl hij naar het scherm kijkt. 'Je hebt
deels gelijk', zegt hij. 'Hoe je een geur waarneemt,
of je het vies vindt of lekker, dat is heel persoonlijk.

Maar het moment waarop je iets kunt ruiken, dat
kan wel bepaald worden. Ik heb het net opgezocht.
Er is een maat voor, de geurdrempel. Grappig, dat
wist ik niet. Leuk toch, zo'n project.'
Hij kijkt op van zijn laptop en naar Yoni. 'Toch?'

'Ja, grappig', zegt Yoni met een zucht.
Ze wou dat Joris eens ergens anders over praatte
dan over geurdrempels, bolbliksems en vonken.
Ze wou dat hij eens zei dat hij haar leuk vindt.
Dat er een vonk is tussen hem en haar, zoiets.
Want die is er wel, ze weet het zeker.
In elk geval springen er van háár kant constant
vonken naar hem over. Maar het lijkt wel alsof
hij dat niet merkt. Misschien is hij wel een echte
nerd, zo'n jongen die alleen maar aan natuurkunde
kan denken. Die absoluut geen interesse heeft in
meisjes. Dat kan.
Ze zucht nog een keer. Dat heb ik weer, denkt ze.

Juniper, wat moet ik doen?, mailt ze 's avonds op de
laptop van Joris.
Ik ben al een heel eind gekomen: van stofje naar
mens. Maar nu wil ik meer.
Ik wil de helft zijn van twee mensen.
Ik wil dat Joris verliefd op me wordt.

Juniper mailt meteen terug: Ga naar de kapper,
koop een hip truitje, probeer een lekker geurtje,
zet je bril af en maak je ogen op. Succes, meid.

16.

'Goeiemiddag, geluksvogels.'
Joris en Yoni kijken op naar de man, die vrolijk
binnenkomt. Hun leraar natuurkunde.
'Samen een bolbliksem, samen een ongeluk, samen
in het ziekenhuis ...'
Hij schudt zijn hoofd.
'Hé, meneer Van Dijk', zegt Yoni verrast. 'Wat leuk
dat u ons komt opzoeken.'
'Nou ... leuk ...', antwoordt hij lachend. 'Ik heb als
jouw mentor de taak om je van voldoende *leerstof*
te voorzien. Anders kom je te veel achter op school.
En ik heb gelijk voor Joris van alles meegenomen.'
Hij legt een stapel boeken op het kastje naast Joris'
bed. En een stapel boeken op het kastje naast het
bed van Yoni.

'Ik zal jullie zometeen vertellen welke stof je moet
doornemen, welke opdrachten je moet maken en
op welke manier we dat gaan toetsen. Maar vertel
eerst eens hoe het met jullie gaat.'
Meneer Van Dijk trekt een stoel tussen de twee
bedden en gaat zitten.
Joris en Yoni vertellen dat het best goed met hen
gaat, dat ze al begonnen zijn aan het project en dat
ze het heel gezellig hebben samen.
'Dat vind ik fijn om te horen', zegt de leraar.
'Mijn twee beste leerlingen, die het samen gezellig
hebben en *tevens* natuurkundeopdrachten maken.
Het kan niet beter.'

Yoni en Joris kijken elkaar even verlegen aan.

Ze krijgen alletwee een kleur.

'O ja, voordat ik het vergeet', gaat hij verder, 'jullie moeten natuurlijk de groeten hebben van jullie medeleerlingen. *Oorspronkelijk* was het plan dat er een paar jongens en meisjes uit jullie klassen mee zouden gaan. Maar zoals je misschien wel weet is het volgende week proefwerkweek, dus iedereen zit heel hard te leren.'

Weer kijken Yoni en Joris elkaar aan.

'O, heerlijk', zegt Yoni. 'Dat hoeven wij nu niet te doen.'

'Dat dacht je maar', zegt meneer Van Dijk.

'Jullie hoeven misschien niet zovéél te doen, maar ook zeker niet niks.'

Dan draait hij zich om naar het been van Joris.

'Vertel me eens Joris', zegt hij, 'hoe werkt deze constructie? Met veren? Moet je been de hele tijd zo aan die stalen draden hangen? Wordt je been ook af en toe naar beneden getakeld? Want zelf mag je natuurlijk geen kracht zetten, hè? Je beenspieren mogen niks doen.'

Joris en de natuurkundeleraar praten een hele tijd over de krachten die op het been van Joris werken. Natuurkundepraatjes, denkt Yoni. Morgen zal ik even naar het ziekenhuiswinkeltje gaan, om te zien of ik daar iets kan kopen wat de aandacht van Joris naar míj toe trekt. En niet *uitsluitend* naar mijn belangstelling voor natuurkunde.

17.

'Wat een stomme opdracht', moppert Yoni.
'Wat moet je doen?', informeert Joris.
Hij is blij dat hij even kan ophouden met zijn
huiswerk.
De hele ochtend zijn ze bezig geweest met de
leerstof die meneer Van Dijk heeft gebracht.

'Ik moet een *dierlijke* vorm tekenen en daarbij
cilinders gebruiken. En dan moet het ook nog
ruimtelijk, dus met perspectief. Zie jij het voor je?
Ik weet niet eens precies wat een cilinder is.'
Joris schiet in de lach.
'Nou ja, ik zie het wel voor me', zegt hij. 'Je moet een
dier kiezen dat al een beetje op een cilinder lijkt.
Op een *koker*, dus. Langwerpig en rond. Een teckel
bijvoorbeeld.
Je tekent een lange horizontale cilinder als lijf en
vier kleine verticale kokertjes als pootjes. Laat hem
naar je toe lopen, dan heb je meteen dat ruimtelijke
in je tekening.'
Yoni moet nu ook lachen.
'Jij hebt makkelijk praten', zegt ze. 'Jij hebt geen
tekenen in je pakket.'
'Nee, omdat ik het niet kan', zegt Joris meteen.
'Maar jij tekent prachtig. Ik denk dat je verder
moet gaan in de natuurkunde. Maar als je dat niet
doet, dan moet je iets met je tekentalent gaan
doen. Misschien kun je het ook combineren en
bolbliksems gaan tekenen ...'

Hij stopt even met praten en kijkt haar met grote ogen aan. 'Dat is een idee!', roept hij dan enthousiast. 'Jij kunt de inleiding van ons project illustreren! Maak een tekening van de bolbliksem die je gezien hebt!'
'Als mijn teckel af is', belooft Yoni. 'Deze opdracht heeft haast. Dat bolbliksemproject niet.'

Het gaat een beetje moeilijk met één hand, maar na een uurtje is de tekening van de teckel af.
'Kijk', zegt Yoni tegen Joris. 'Vind je het wat'?'
Joris kijkt opzij en zijn ogen worden groot van verbazing.
Yoni heeft inderdaad gedaan wat hij heeft voorgesteld: ze heeft van zeven cilinders een teckel gemaakt. Een cilinder voor het lijf, vier voor de pootjes, één voor de kop en één voor de staart.
'Hoe heb je dat gedaan?', vraagt Joris. 'Het lijkt wel of die teckel van *koper* is.'
Yoni houdt een kleurpotlood omhoog.
'Met dit potlood', zegt ze. 'Ik heb hem al jaren in mijn doos met kleurpotloden, maar ik had hem nog nooit gebruikt.'

'Geef eens.' Joris steekt zijn hand uit en Yoni geeft hem de tekening.
Met de *loep* aan zijn Zwitserse zakmes bekijkt Joris de koperen teckel. 'Het lijkt wel alsof er echte koper*deeltjes* in dat potlood zitten', zegt hij. 'Ongelooflijk mooi, Yoni. Mag ik hem hebben?'
'Ja hoor', belooft Yoni. 'Zodra ik hem weer terug heb van de tekenleraar, krijg jij hem.'

18.

Yoni heeft een strak zwart T-shirt gekocht in het winkeltje van het ziekenhuis, met drie aapjes erop: horen-zien-zwijgen. Het was het meest natuurkundige T-shirt dat ze kon vinden.
Ze heeft aan de ziekenhuiskapper gevraagd of hij blonde plukjes in haar haar kon verven.
Ze heeft een nieuwe mascararoller gekocht en tweekleurige oogschaduw.
En ze heeft een klein probeerflesje gekregen van een extreem duur geurtje: *passion*.
Nou, als dit niet lukt, dan lukt niks.
Ze staat in het badkamertje van de ziekenhuiskamer en kijkt in de spiegel.
Ze weet eigenlijk niet of ze zichzelf nu aantrekkelijker vindt dan in een oud, wijd T-shirt, met egaal bruin haar en zonder make-up.
In de spiegel staart een vreemde Yoni haar aan.
Een Yoni zonder bril.
Want dat heeft ze ook nog gedaan: daglenzen gekocht. Ze heeft wel lang geaarzeld, want ze vindt het doodeng: lenzen in haar ogen duwen.
Maar het moest. Voor het goede doel, zei Juniper.

Je moet ook iets uitstralen, iets *uitzenden*, heeft Juniper gemaild.
Probeer je te concentreren op wat je van Joris wilt.
Denk aan hem terwijl hij je kust.
En probeer om die beelden over te brengen naar Joris. Een gelóóf erin, Yoni. Geloof is belangrijk!

Yoni doet een poging om aan een kussende Joris te
denken, terwijl ze de ziekenhuiskamer binnengaat.
Maar al snel is ze die gedachte weer kwijt.
Naast Joris' bed zit een beeldschoon meisje.
Ze heeft zijn linkerhand in haar handen en gaat met
een vinger over een van de lijnen aan de binnenkant
van zijn hand. 'Dit is je levenslijn', zegt ze. 'Je hebt
een mooie, lange levenslijn.'

Dat vindt Joris flauwekul, denkt Yoni. Joris wil
niets weten van dingen die niet te bewijzen of te
verklaren zijn. Allemaal gezweef, vindt hij. Joris is
een man van de wetenschap. Hij zal wel tegen het
meisje zeggen dat ze de hand van iemand anders
moet gaan lezen. Maar Joris zegt niets; hij kijkt
alleen maar naar het mooie meisje aan zijn bed.
'En dit, dit is je hartlijn', gaat het meisje verder.
'Je hebt een diepe hartlijn, Joris. Ik *voorspel* je veel
goeds in de liefde ...'
Het meisje slaat haar glanzende bruine ogen met
prachtige lange wimpers op naar de jongen in
het ziekenhuisbed. 'Ik kan in je hand ook nog je
intelligentie lezen', zegt ze lachend. 'Maar dat hoeft
niet meer, want ik weet al hoe slim je bent.'

Yoni draait zich om en gaat terug naar de badkamer.
Ze pakt een rol *watjes* en begint fanatiek haar
opgemaakte ogen schoon te maken. Weg lenzen,
weg mascara, weg oogschaduw. Weg Joris!

Joris en het schitterende meisje hebben haar niet
eens opgemerkt.

19.

'Heb jij je eigenlijk opgegeven voor de natuurkunde-olympiade?', vraagt Yoni.
Ze loopt zo gewoon mogelijk de ziekenhuiskamer in. Zonder make-up en met haar bril op.
'Hé, hallo', zegt ze onverschillig tegen het prachtige meisje.
'Ja, maar ik kan nu niet meedoen, met dat been', zegt Joris.
Hij kijkt even naar Yoni. 'Leuk T-shirt', zegt hij dan.
'Leuk haar, ook, met die blonde plukjes.'
Dat werkt dus wel. Maar ja, ze is te laat.
Het mooie meisje staat op en geeft Yoni een hand.
'Ben jij Yoni?', vraagt ze.
Yoni knikt en loopt door naar haar bed.
'Ik ben Juniper', zegt het meisje. 'Ik was in de buurt en ik dacht: ik ga kennismaken met mijn mailvriendin.'
Ze snuffelt even in de lucht. 'Lekkere parfum heb je op', zegt ze met een knipoog. 'Hoe heet ie?'

Yoni kijkt het mooie meisje wel tien seconden aan, zonder iets te zeggen. Er gaan een heleboel gedachten door haar hoofd. Nare gedachten vooral.
'Juniper?', zegt ze dan.
'Ja, de Juniper van de website van Jan', zegt Joris lachend. 'Je weet wel, die website waar ook een Joris op stond.' Yoni kijkt hem kwaad aan.
'Mooi is dat', zegt ze nijdig. 'Mijn mailvriendin die al mijn geheimen kent, komt op bezoek.

En rooft de jongen op wie ik verliefd ben voor mijn neus weg.'
Het kan haar niet schelen dat Joris het hoort.
Alles is nu toch al kapot.
Haar mooie vriendschap met Juniper, haar hoop op verkering met Joris.
Ze draait zich om en loopt de kamer uit.
De tranen lopen over haar wangen.

'Yoni, Yoni, wacht, zo is het niet', roept Juniper.
Ze holt achter Yoni aan.
'Wacht', zegt ze nog een keer als ze naast Yoni staat. Ze legt een arm om Yoni's schouder.
'Ik kom je juist helpen', zegt ze tegen haar.
'Ik zit niet achter Joris aan. Kijk maar.'
Ze houdt haar linkerhand omhoog.
'Ik ben verloofd', zegt ze. 'Ik ga over een paar maanden trouwen.'

Voor de tweede keer in een paar minuten kijkt Yoni zwijgend naar Juniper.
Dan slaat ze haar handen voor haar ogen en zakt op de grond. 'O nee', kreunt ze. 'Wat heb ik gedaan?'

20.

'Ik durf niet terug naar mijn bed', zegt Yoni
snuffend. 'Ik kan Joris niet onder ogen komen.'
Ze zit samen met Juniper in de koffiecorner van het
ziekenhuis.
Ze hebben allebei een groot glas muntthee voor
zich.
'Dat werkt kalmerend', heeft Juniper gezegd.
Maar Yoni voelt zich helemaal niet kalm,
integendeel.
Juniper legt haar hand op Yoni's arm.
'Wat maakt het uit?', zegt ze. 'Misschien vindt Joris
het wel fijn dat hij het weet. Misschien voelt hij ook
iets voor jou en durfde hij het niet te zeggen.
Dat kan toch?'
Yoni zucht en schudt haar hoofd.
'Ik durf echt niet terug', zegt ze. 'Ik heb al zoveel
moeilijke dingen moeten doen. En die heb ik
allemaal gedaan. Maar dit ... nee.'

'Dat T-shirt kopen?', vraagt Juniper. 'Was dat
moeilijk? Joris zei dat hij het leuk vond.'
'Nou, dat T-shirt viel nog mee. Er waren gelukkig
geen andere mensen in het winkeltje, dus ik kon
lekker lang zoeken. Het ergste waren de daglenzen,
om die in te doen. Of nee, het ergste was het
föhnen. Ik heb mijn haar laten föhnen, Juniper.
Dat was echt moeilijk.'
Juniper knikt goedkeurend.
'Goed dat je dat gedaan hebt', zegt ze.

'Een föhn is gewoon een apparaat. Niet het moordwapen van je moeder.'
'Dat weet ik wel', zegt Yoni zachtjes. 'Maar ik voel het anders. Ik ben ook nooit meer in bad geweest. Ik heb altijd gedoucht, sinds mijn moeders dood.'
Juniper knijpt even in Yoni's arm.
'Zie je zelf in hoe goed het eigenlijk met je gaat?', vraagt ze. 'Je bent bezig de dood van je moeder achter je te laten. Dat is mooi, Yoni, echt mooi.'
Yoni schudt haar hoofd.
'Ik weet het niet', mompelt ze. 'Ik wil mijn moeder niet vergeten.'
Juniper glimlacht.
'Dat zal ook nooit gebeuren', zegt ze. 'Je vergeet misschien de pijn die je voelt, omdat ze dood is. Maar een moeder vergeten, dat kan niemand. Ook jij niet.'
Yoni wrijft de tranen uit haar ogen en knikt.

'Kom', zegt Juniper. 'We gaan gewoon terug naar Joris. Wat kan er gebeuren?'
Yoni aarzelt nog, maar staat dan op.
'Je hebt gelijk', zegt ze. 'Wat maakt het uit.'
Samen lopen ze de gangen door naar de vertrouwde ziekenhuiskamer.

21.

De vrouw duwt de rolstoel met de oude man over
de zandweg langs de steengroeve.
Een cameraman en een geluidstechnicus van de
televisie lopen naast hen.
'Dus dit is het huisje waar u woont?', vraagt ze.
De cameraman richt zijn camera op een klein huisje
aan de rand van het bos.
Voor het huisje ligt een dikke boomstam.
'Ja', knikt de oude man. 'Mijn ouders hebben hier
gewoond. En later heb ik hier met mijn vrouw
gewoond. Onze kinderen zijn hier alle vijf geboren.'
'Het is een afgelegen plek om op te groeien', vindt
de vrouw. De oude man knikt weer.
'Vooral voor mijn dochter was het eenzaam',
zegt hij. 'Mijn zoons waren met z'n vieren, dus zij
hadden elkaar. Maar Yoni was altijd alleen.
Vooral ...' Hij slikt even.
'Vooral na de dood van mijn vrouw', zegt hij dan
zachtjes. 'Dat was natuurlijk een enorme klap voor
ons allemaal. Maar Yoni ... Yoni heeft er het meeste
last van gehad. Arm kind ... elf was ze pas. Net
toen zij haar moeder het hardst nodig had, toen
gebeurde dat vreselijke ongeluk. Dat ongeluk, dat ik
heb veroorzaakt.'

'U?', vraagt de vrouw. 'Wat heeft u dan gedaan?'
De oude man wrijft over zijn ogen. 'Ik was zo boos,
omdat ik geen werk meer had. Ik maakte de hele
dag ruzie met iedereen, ook met mijn vrouw.

Om even van mij af te zijn, ging ze vaak in het bad zitten. Even lekker ontspannen, zei ze. En daar was ik dan ook weer kwaad om. Ik smeet de deur van de badkamer met een klap dicht en toen hoorde ik een gil. Het was geen harde gil en ik dacht dat ze gilde omdat ik de deur dichtsmeet. Ik ging naar buiten het bos in. Waarschijnlijk is door die klap van de deur de föhn in het water gevallen. Ze gilde omdat ze een schok kreeg. Als ik was gaan kijken, had ik haar misschien kunnen redden.'

'En toen bent u uw geloof in God kwijtgeraakt', weet de vrouw. 'Ja', zegt de oude man. 'Ik was zo kwaad op God. 'Ik was zo woedend om al mijn ellende. Vijf jaar lang ben ik niet naar de kerk geweest.' Hij schudt zijn hoofd.
'Maar u bent weer teruggegaan naar de kerk', zegt de vrouw. 'Hoe kwam dat?'
'Door het ongeluk van mijn dochter', zegt hij.
'Zij bleef maar buiten bewustzijn na een val met haar fiets op de Bosweg. Toen werd ik bang dat ze nooit meer wakker zou worden. Ik was bang dat ze niet meer wakker wílde worden. Dat ze naar haar moeder toe wou.
Ineens zag ik in dat ik veel te veel van haar geëist had. Dat ik alleen aan mijn eigen ellende had gedacht en niet aan haar. Toen heb ik aan God gevraagd Yoni aan ons terug te geven. En ik heb beloofd dat ik haar niet van school zou halen.
Ik heb me altijd aan die belofte gehouden. Ik heb Yoni laten doorstuderen totdat er niks meer te studeren viel.'

'Gelukkig maar', zegt de vrouw lachend. 'Anders hadden we nu geen Nobelprijswinnares in Nederland gehad.'
De oude man glimlacht.
'Weet u eigenlijk waarmee uw dochter die prachtige prijs heeft gekregen? Weet u iets van haar onderzoek?'
'Het is niet alleen haar onderzoek', zegt hij. 'Het is ook het onderzoek van haar man, Joris.'
'Haar jeugdliefde', knikt de vrouw.
'Ja, ze hebben samen onderzoek gedaan naar bolbliksems. En ze hebben iets ontdekt. Ze hebben dat het Yojo-effect genoemd, naar Yoni en Joris. Ik ben een eenvoudige man, ik begrijp het niet allemaal, al die moeilijke natuurkundige dingen. Maar als je de Nobelprijs wint, dat betekent toch wel wat.'
'Zeker', knikt de vrouw. 'Dat betekent om te beginnen een enorm doorzettingsvermogen. En een sterk karakter.'

De camera zoemt langzaam uit.
Het hele landschap is nu te zien: het kleine huisje met het bos erachter, de steengroeve, de zandweg met de rolstoel in het midden.

'Dit was het programma "Gebeurtenissen die je leven veranderen"', klinkt de stem van de vrouw. 'Een programma over geloof, bijgeloof en wetenschap, van Juniper de Vries. Goedemiddag en tot de volgende keer!'

Woordenlijst

Aangezien	Omdat	37
Afronden (van getal)	Groter of kleiner maken, tot een heel getal	36
Algemeen	Voor iedereen	15
Aquarium, het	Een bak van glas met water waarin vissen kunnen zwemmen	10
Balans, de	Het gewicht zo verdelen dat je niet valt	24
Belang, het	Het is belangrijk	40
Bespreken	Ergens met elkaar over praten	14
Bliksem, de	Lichtflits in de lucht, bij onweer	8
Boomstam, de	Stam van een boom	17
Botsen	(Hard) tegen iets aankomen	8
Botsing, de	Twee dingen die tegen elkaar aan komen	24
Cilinder, de	Een ronde vorm met twee rechte kanten, zie plaatje --->	45
Dalen	Naar beneden gaan	15
Decimaal, het	Getal achter de komma; bijvoorbeeld 3,4. 4 is de decimaal	36
Deeltje, het	Een heel klein stukje van iets	46
Definitie, de	De betekenis van iets	41
Diagonaal	Dwars, bijvoorbeeld van linksonder naar rechtsboven, zie plaatje --->	10
Dierlijk	Iets van een dier	45
Doornemen	Lezen, leren	43
Doorzichtig	Je kunt er doorheen kijken	15
Draaibaar	Het kan draaien	34
Echo, de	Geluid dat terugkomt	8
Eenheid, de	Een eenheid is een manier om te zeggen hoe groot iets is of hoeveel iets is	41
Formulier, het	Soort vragenlijst die je moet invullen	19
Hefboom, de	Een hefboom gebruik je om iets zwaars mee op te tillen	17

In deze woordenlijst vind je alleen de
betekenis die hoort bij dit verhaal.
De cijfers verwijzen naar de bladzijde
waar het woord voor het eerst voorkomt.

Het mis hebben	Niet gelijk hebben	16
Hoes, de	Een soort zak die ergens omheen gaat	22
Hoogteverschil, het	Als iets hoger ligt dan iets anders, heb je hoogteverschil	24
Inleiding, de	Begin van een verhaal, met uitleg	28
Kaarsvet, het	Daarvan is een kaars gemaakt	11
Kaarsvlam, de	Het vuur dat je ziet als een kaars brandt	11
Kern, de	Het deel dat midden in iets zit	29
Kieuw, de	De kieuw is het deel van de vis waarmee hij ademt	13
Koker, de	Een ronde vorm met twee rechte kanten, zie plaatje --->	45
Komma, de	Een komma in een getal, bijvoorbeeld 9,1	36
Koper, het	Een zacht rood-bruin metaal	46
Krimpen	Kleiner worden	32
Leerstof, de	Wat je moet leren	43
Levenloos	Dood	13
Loep, de	Vergrootglas	46
Lus, de	Bocht in een touw of snoer	32
Magneet, de	Metaal dat ander metaal naar zich toetrekt	34
Microscopisch	Zo klein dat je het niet kunt zien	39
Minuscuul	Heel erg klein	22
Naald, de	Dun stukje ijzer met een scherpe punt	34
Nauwkeurig	Precies	28
Omhulsel, het	Wat ergens omheen zit	11
Onderdompelen	Als je iets onderdompelt, dan hou je het onder water (of een andere vloeistof)	7
Oorspronkelijk	Eerst, vanaf het begin	44
Opdrachtenboek, het	Boek met opdrachten	17
Oppervlakte, de	Bovenkant van het water	13
Opvatting, de	De mening	14

Pagina, de	De bladzijde	17
Persen	Hard op iets drukken	31
Pols, de	Het stukje tussen je arm en je hand dat je kunt bewegen	27
Polsen	Vragen wat iemand van iets vindt	32
Proefwerk, het	Repetitie	7
Regelmaat, de	Op een vaste tijd	40
Ruimtelijk	In de ruimte	17
Schaal, de	1. Groot bord	7
	2. Als je bijvoorbeeld een kast op schaal tekent, dan teken je hem kleiner dan hij echt is. Teken je met een schaal van 1 op 10? Dan is de kast in het echt 10 keer groter	36
Schetsen	Een snelle tekening maken	17
Spier, de	Deel van je lichaam waarmee je kunt bewegen; je spieren zitten in je armen, benen, rug enzovoort	26
Spierkracht, de	De sterkte van je spieren	26
Staal	Soort metaal	26
Stofje, het	1. Klein stofdeeltje, vuiltje	22
	2. (Vloei)stof; bij natuurkunde en scheikunde praat je over stoffen	29
Straal, de	De lijn die je kunt trekken van het midden van een cirkel naar de rand van die cirkel	29
Tevens	Ook	43
Toon, de	Klank	19
Trilling, de	Een beweging die snel heen en weer gaat	10
Uitademen	Lucht uitblazen	22
Uitsluitend	Alleen maar	44
Uitzenden	Sturen naar	47
Vandaar	Daarom	36

Veer, de	Als je een veer indrukt, springt hij uit	
	zichzelf weer terug	35
Veld, het	Ruimte	33
Versnellen	Sneller gaan	10
Vertragen	Langzamer gaan	29
Verwisselen	Als je iets verwisselt, dan haal je twee	
	dingen door elkaar	32
Vonk, de	Een brandend stukje van vuur	41
Voorspellen	Vóórdat iets gebeurt, zeggen wat er zal	
	gaan gebeuren	48
Watje, het	1. jongen die niet stoer doet	21
	2. stukje zachte stof	48
Zinken	In het water naar beneden zakken	34
Zweven	Zachtjes bewegen in de lucht	9

Zo wordt lezen leuk

én presteer je

beter op school!

Ook verkrijgbaar:

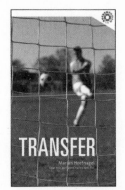

www.boekenboeien.nl | www.boekenboeien.be